Smiley World
EXPRESS YOURSELF

Mon livre collector
Plus de 2400 stickers + 10 stickers géants

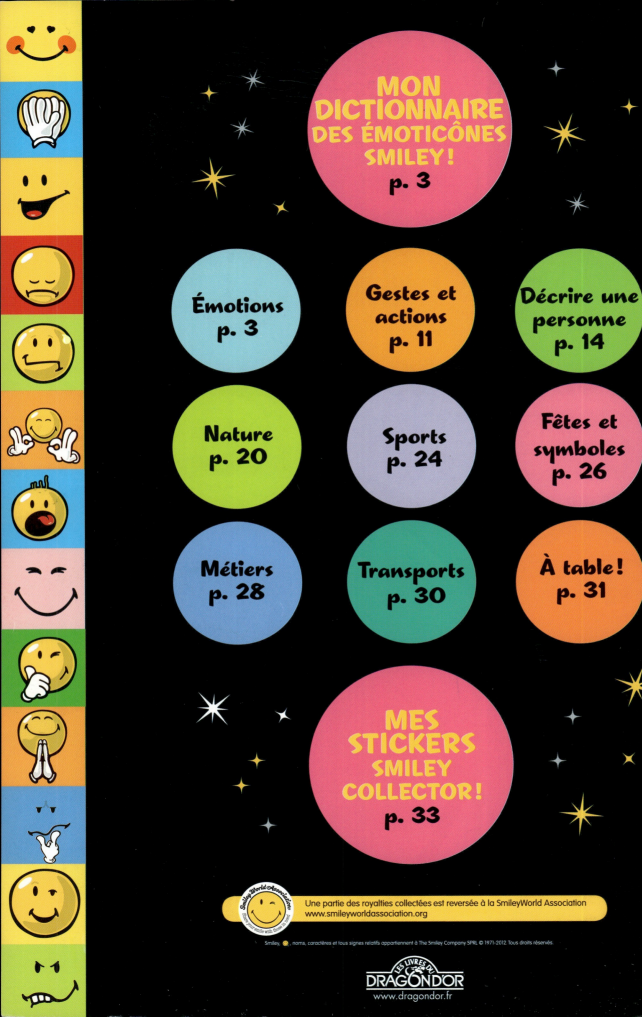

MON DICTIONNAIRE DES ÉMOTICÔNES SMILEY !
p. 3

MES STICKERS SMILEY COLLECTOR !
p. 33

LES LIVRES DU DRAGON D'OR
www.dragondor.fr

Émotions

:)

être heureux

:~)

être trop
heureux

:*)

être étourdi
de bonheur

:,)

pleurer de joie

:E)

être ravi

:D

rire

(D

rire fort

(D ou LOL

rire très fort

:):):)

être mort
de rire

{:D

avoir un
fou rire

EB]

être relax

,':D

jubiler

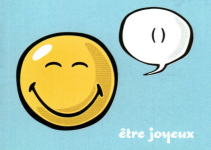

()

être joyeux

(:)

être rayonnant

= (D

sauter de joie

:v — papoter

:)~(: — aider

l:Y — rapporter des rumeurs

(= — être embarrassé

&.(.. — avoir le cœur brisé

:x** — envoyer des baisers

:)ooo)) — partager

8> — offrir des fleurs

<3 — l'amour

: *i — rougir

:) U`U (: — porter un toast

}<3 — l'ange de l'amour

] ;)<-)-<3 — Cupidon

<3YOU — la Saint-Valentin

;D~P; — taquiner

=|:)<3(:)) — un mariage

[<3] — le cœur

)(
avoir
des regrets

<.(@
avoir
des remords

/:\
se sentir
mal

: !
avoir fait
une gaffe

idiot
JE SUIS
PUNI
<:(=[]
être puni

|: f
regretter

: f
avoir honte

<i
être troublé

10TON|_:
être fort

{{{ |:| }}}
se sentir
puissant

:)- <) <)
être
courageux

>:D<
être fanfaron

|\
être fier

|:)9
être volontaire

(:D((
avoir
de l'espoir

; j
être sûr
à 100 %

._:D
être sur-motivé

\|:)
être sûr
de soi

ne pas être
convaincu

être
perturbé

s'interroger

avoir
une idée fixe

être neutre

être incertain

être indécis

être
sans voix

être
sceptique

réfléchir

être
étourdi

être très
perplexe

se poser
des questions

être dans
la lune

être confus

être distrait

avoir des doutes

(:0 — être triste

@}| — avoir du chagrin

:*(— se sentir triste

%{ — être bouleversé

{: { — être très bouleversé

|: f — avoir le mal du pays

&*(** — être abattu

:T — être indifférent

Q<(— être d'humeur déprimée

:c — avoir le blues

: / — être chagrin

(.O@ — être désespéré

-]X{[- — être écrasé par l'émotion

:(— être déprimé

0{<) — ne rien avoir envie de faire

:c- — se sentir mal

(| — avoir de la peine

<(— être déçu

être pris
au piège

être
terrifié

être sous
le choc

trembler

être
pétrifié

être
paniqué

avoir fait
un cauchemar

se faire
tout petit

être
intimidé

se sentir
en danger

être
hystérique

être
horrifié

avoir les cheveux
dressés sur la tête

avoir la chair
de poule

être glacé
de terreur

être inquiet

être anxieux

être muet
de peur

être en colère

être mécontent

détester

être furieux

être très furieux

être haineux

ne pas pardonner

être cruel

désobéir

être dégoûté

être diabolique

être vexé

se venger

interdire

être enragé

s'impatienter

désapprouver

décourager

Gestes et actions

 |:]
en saliver
d'avance

 (8>
manger

 :o<
manger avec
des baguettes

 :&
manger
des spaghettis

 :)o=--
manger avec
des couverts

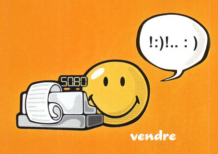 !:)!.. :)
vendre

 ':O
faire une bulle
de chewing-gum

 >X(
mâcher

 :8
mettre du
rouge à lèvres

 **:)
mettre du
mascara

 :'ooo
collectionner
des timbres

 N).
dormir

 (o
bâiller

 :)_,~
écrire

 }:)`:)
dessiner

:a
toucher son nez
avec sa langue

1: o.{:)::::]3
être accro
au portable

*1:)
réussir

M:O
obéir

M:I
faire le salut
militaire

:M
parler avec une
langue fourchue

:j
faire un sourire
narquois

:V
crier

:y
le dire avec
le sourire

:)m
écrire sur
un clavier

-[/ :)|
se faire
décapiter

=>:)=>
être sur
le départ

O- :9
avoir
une sucette

(}>:)
sauter en
parachute

|:'
cracher

:)~D
boire du thé

:)8<
couper

X o<
souffler

Décrire une personne

(|:)
porter un casque
de cyclisme

c):)
porter un
chapeau melon

o<:)
porter
un bonnet

@}:)
porter un
chapeau de paille

K:)
porter une
casquette à hélices

=|:)
porter un
chapeau
haut-de-form

:)x===>
porter
une cravate

:)8
porter un
nœud papillon

: H
ne pas avoir
de dents

: #
porter des
bagues aux dents

:I)
avoir un piercing
dans le nez

: P*
avoir un piercin
sur la langue

%+|
avoir
des boutons

O.
être géant

|:].`
être costaud

 [10Ton];)
être fort

 c:)3
être cabossé

 [:E
être musclé

 8)
être binoclard

 :)}}
être en surpoids

 >(D<
avoir une haleine fraîche

 :)}
avoir un double menton

 *>-(:)
être étrange

 ',D!
être bronzé

 :)=
avoir des dents de lapin

 8)=
avoir des dents de lapin et des lunettes

 `:*),
être sale

 ((`:(
être blessé

 +.)
avoir un œil blessé

 : |]
avoir des dents parfaites

 *(0
avoir travaillé toute la nuit

 ( ]`.
suer

  #:)
avoir l'air de sortir du lit

avoir une
tête carrée

être
ramollo

être
à bout

avoir une
coupe en brosse

porter un
petit chapeau

être chauve

avoir un
mono-sourcil

porter la moustache
fournie

porter
un bouc

porter une
longue barbe

avoir une crête

avoir un petit
pois dans la tête

être
innocent

être
lunatique

être
anonyme

être
démoniaque

être avide

être borgne

l'humilité

la sagesse

la chasteté

la charité

la gentillesse

la tempérance

la patience

l'orgueil

la colère

l'envie

l'avarice

la gourmandise

la paresse

la luxure

 un Vietnamien

 un Anglais

 un Indien

 un Mexicain

 un Turc

 un Tibétain

 un Amérindien

 un Sud-Africain

 un Écossais

 un Kazakh

 un Bédouin

 un Irlandais

 un Allemand

 un Français

 un Chinois

 un Brésilien

 un Autrichien

 un Américain

Nature

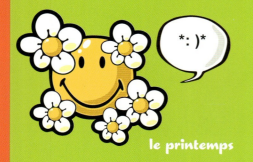
le printemps

l'été

l'automne

l'hiver

il y a
du vent

il y a
du soleil

il neige

il pleut

il pleut
la nuit

il grêle

il fait froid

il gèle

un temps
couvert

la tempête

il y a de
l'orage

une étoile

une goutte d'eau

une nuit étoilée

une fleur

embrasser un arbre

protéger la planète

une marguerite

des fleurs colorées

un lys

une montagne

un cactus

un trèfle à quatre feuilles

un gland

une rose

une pensée

un arbre

un chien

un chat

un cochon

un mouton

un lapin

un cheval

une poule

un hamster

une souris

un canard

un coq

une abeille

une araignée

un hibou

un paon

une grenouille

une chenille

une mante
religieuse

Sports

la planche
à voile

le ski

le skateboard

le surf

le snowboard

la plongée

le ballon
de basket-ball

la raquette de
tennis de table

le ballon
de volley-ball

la balle
de tennis

le ballon
de football
américain

le ballon
de football

le parapente

l'escrime

la pom-pom
girl

Fêtes et symboles

=))

un gâteau
d'anniversaire

}:}

le Nouvel
An chinois

<<<:)

un arbre
de Noël

||=\

la chaussette
de Noël

',>:o)

un renne
de Noël

o<||:)

un bonnet
de Noël

3EI

un cadeau
de Noël

.) }8{ (.

les cloches
de Noël

:>)M

un
bonhomme
de neige

o<||:)}

Père Noël

O)

une boule
à neige

(:))

un œuf
de Pâques

I=:)

être diplômé

recycler

recyclable

parler dans
une bulle

être dans
les nuages

être dans
les étoiles

trèfle

pique

carreau

cœur

la note
de musique

poison

pixel

penser
positif

jeter à
la poubelle

la paix

la cible

;$)

un banquier

([:)

un soldat

*|:)

un matelot

-(*|):)

un policier

:)[O`][-][O`]

un DJ

d:)o-c

un plombie

:)*O*

un paparazzi

(D)

un soudeur

:)-)

un demande
d'emploi

|:|)

un voleur

(|)@

un sergent

O= :)

un directeur
artistique

: O

un orateur

(+:)

une infirmière

<<<<(:)

un vendeur
de chapeaux

un van

une montgolfière

un TGV

un paquebot

un taxi

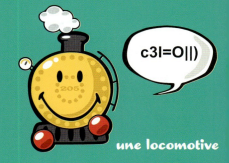

une locomotive

un voilier

une voiture

un bus

une fusée

un sous-marin

un hélicoptère

une trottinette

une bicyclette

un avion

À table !

un bonbon

des chocolats

un beignet

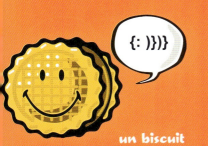

un biscuit

un muffin

un chocolat chaud

une glace

une sucette

de la confiture

un gâteau à la crème

du lait

un poulet

du pain

du beurre

un œuf sur le plat

   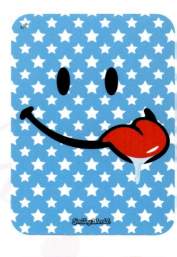

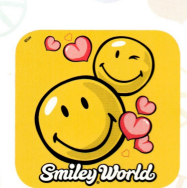  

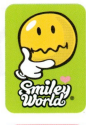

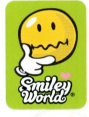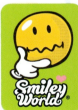

HAND IN RS

AM ON google

Class Room!!!